Wish

Wish is the one my realizing.

2

Contact. 7

海《うみ》のむこうから来《き》た人《ひと》

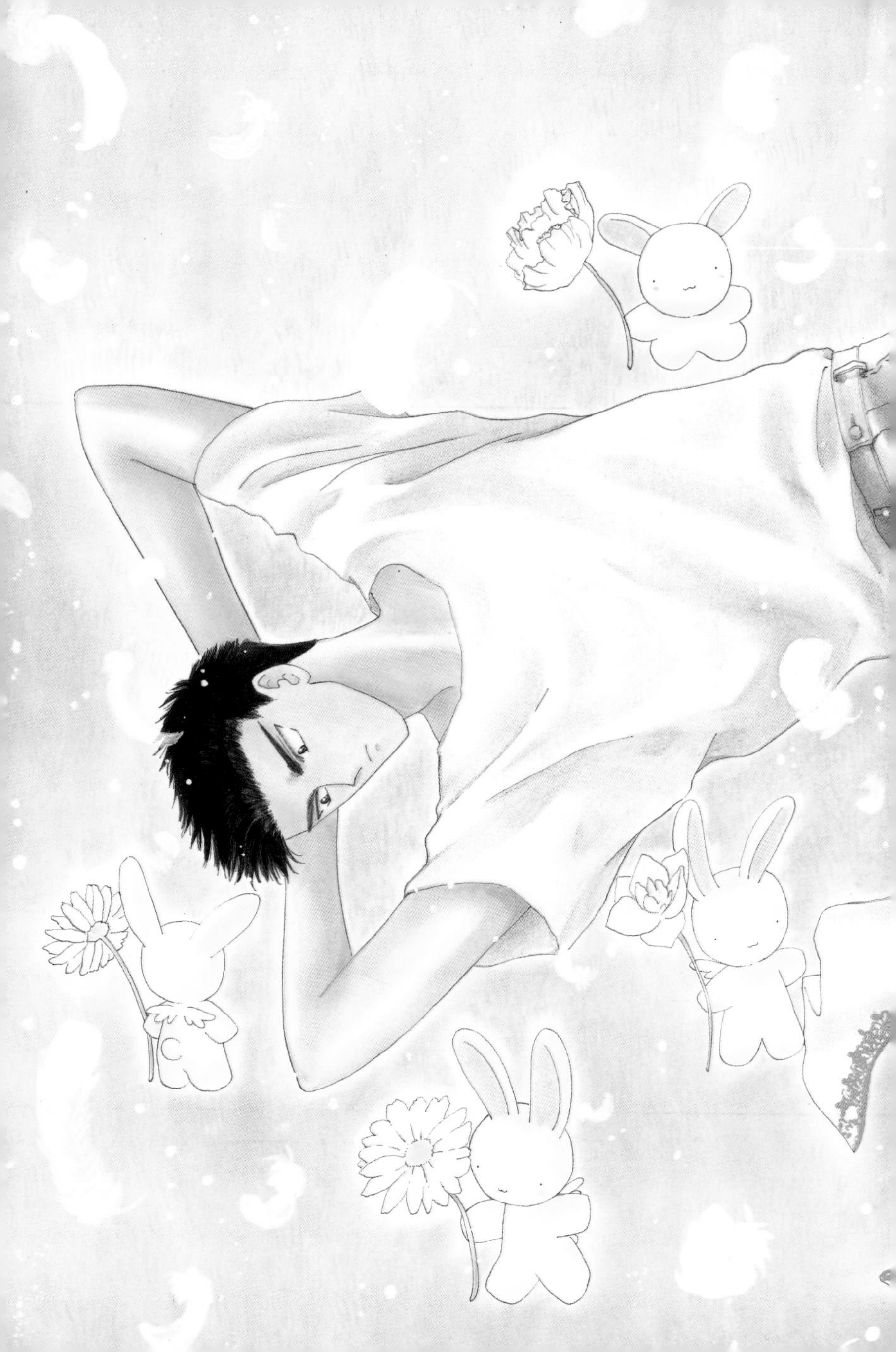

サー
パシャ
ザザ
ファアアア
ザザザザ
これが
天使《てんし》の琥珀《こはく》
最初《さいしょ》と違《ちが》いますが
これが本当《ほんとう》の姿《すがた》です
ザザザザ
まだまだ修業中《しゅぎょうちゅう》の
身《み》である琥珀《こはく》は　地上《ちじょう》では
ずっともとの姿《すがた》では
いられません
天使《てんし》は
太陽《たいよう》の光《ひかり》を源《みなもと》にして
元気《げんき》を補給《ほきゅう》して
いますので

今日《きょう》の陽《ひ》の光《ひかり》はすっごくおいしー！
んまんま
陽《ひ》が高《たか》い朝《あさ》から夕方《ゆうがた》まではこうしていられるのですが夜《よる》になると冒頭《ぼうとう》のようにちぢんでしまうのです
省エネ型
ガ
あ！琇一郎《しゅういちろう》さん！
この人《ひと》が琇一郎《しゅういちろう》さんこのお家《うち》で独《ひと》り暮《ぐら》しのお医者様《いしゃさま》です
おはようございます！

…おはよう
お食事《しょくじ》
もう終《お》わられたん
ですか？
いや
まだなんだが…
ひょい
出来《でき》ましたよ
琇一郎《しゅういちろう》さん
ひ
翡翠様《ひすいさま》!?
にっこり

スッ
パタン
すみません 用意《ようい》が 遅《おそ》くなって
トトトトトト

冷蔵庫《れいぞうこ》の中《なか》のもの
琇一郎《しゅういちろう》さんのご好意《こうい》に甘《あま》えて使《つか》わせて頂《いただ》きました
それは構《かま》わんが…
なにか？
……料理《りょうり》して大丈夫《だいじょうぶ》なのか？
…はい

私《わたし》はもう天使《てんし》ではありませんから
この人《ひと》は翡翠様《ひすいさま》『天界《てんかい》』と言《い》う天使達《てんしたち》が住《す》む世界《せかい》で琥珀《こはく》に色々《いろいろ》教《おし》えてくださっていた天使長《てんしちょう》さんです
しかし今《いま》はこの
悪魔達《あくまたち》が住《す》む『地界《ちかい》』で一番《いちばん》えらい魔王様《まおうさま》の一人息子《ひとりむすこ》黒燿様《こくようさま》と一緒《いっしょ》に人間界《にんげんかい》にいます

どうも。
はい
はぐはぐはぐ はぐはぐ
にこにこ
なんだ
とりあえずにらむ
悪気はない

にこにこ
悪魔《あくま》がご飯《はん》を食《た》べているから不思議《ふしぎ》ですか？
私《わたし》と『約束《やくそく》』しているので
黒耀《こくよう》は生《い》き物《もの》の魂《たましい》を食《た》べない
食事《しょくじ》は人間《にんげん》と同《おな》じものを食《た》べる
約束《やくそく》…？
そのかわり私《わたし》も一緒《いっしょ》に…

ご飯《はん》を食《た》べる
はい
はぐはぐ
ミルク以外《いがい》でもいいんだな
良《よ》くご存《ぞん》じですね天使《てんし》がミルクしか飲《の》めないって

あいつがミルクと…あと蜂蜜《はちみつ》くらいしか食《た》べないからな
天使《てんし》は綺麗《きれい》な木《き》と空気《くうき》の中《なか》で陽《ひ》の光《ひかり》を浴《あ》びていれば十分《じゅうぶん》ですし
何《なに》かの命《いのち》を奪《うば》って作《つく》られたものは口《くち》に出来《でき》ませんから
わ！
……どうした

琇一郎《しゅういちろう》さん…
…翡翠様《ひすいさま》料理《りょうり》なさったんですね
ああ うまかったが
おかわりいりますか?
はぐ はぐはぐ はぐ
こくこく
まだ食べている
…本当《ほんとう》に天界《てんかい》にお帰《かえ》りになる気《き》はないんだなって…

料理《りょうり》すると
天界《てんかい》へ
帰《かえ》れない
のか？
天使《てんし》は
何者《なにもの》の命《いのち》も奪《うば》うことは許《ゆる》されませんから…
前《まえ》から気《き》になってたんだが…
…浮《う》いてないか？
ほえ？

羽根《はね》がなくても
こうやって
浮《う》いてるのか?
はい
地面《じめん》に足《あし》を
つけちゃうと
草《くさ》や花《はな》を
踏《ふ》んでしまうかも
しれませんし
土《つち》にいる
虫《むし》たちの
迷惑《めいわく》になるかも
しれませんし…

あーー！朝《あさ》からほのぼのしやがってーー!!
このちっちゃいのは紅榴《こうりゅう》
今《いま》地上《ちじょう》にいて天使《てんし》の琥珀《こはく》をいぢめるのが楽《たの》しみな悪魔《あくま》です
いつもこの姿《すがた》な訳《わけ》ではありません
悪魔《あくま》は月《つき》の灯《あかり》を借《か》りて力《ちから》を発揮《はっき》するので夜《よる》にならないと元気《げんき》がでないんです
やー なんかええ雰囲気《ふんいき》やなー
うんうん新婚家庭《しんこんかてい》がふたつってかんじー
俺《おれ》はああいうぼけぼけした雰囲気《ふんいき》が一番《いちばん》きらいなんだ！
うちかて騒《さわ》ぎが起《お》こるほうが嬉《うれ》しいけど
うちもー
ついでに美味しい魂とか死体とか食べられるともっとうれしー
ええうん

ん？
ビーー
ビー
あれ？どなたかいらっしゃったんでしょうか
スッ
いってきます
ビー
はーい
今《いま》あけます！

ほえ!?
琇一郎《しゅういちろう》ーー!!!
がばあ
会《あ》いたかったぞ
琇一郎《しゅういちろう》ーー!!
ほ～ん!!!!!
?
ぷるぷる
あれ?
おまえさん
誰《だれ》じゃ?
タタ
しゅ
しゅういちろうさんーー
ふえ～。
じーさん…

トポポポ
わははは
やーまいった
うまい!
こりゃ素晴らしい紅茶じゃ
にこ
何《なに》しに来《き》たんだ じーさん
何《なに》しに来《き》たとはなんじゃ!
たった一人《ひとり》の孫《まご》の琇一郎《しゅういちろう》が元気《げんき》にやっとるかちょっとのぞきに来《き》て何《なに》が悪《わる》い!
ビシィ
うぬぅ じじ不孝者めっ
わざわざカナダから来《く》るのがちょっとか

なーに
自家用《じかよう》ジェットでひとっとびじゃ
わははは
カナダにいらっしゃるんですか？
そうじゃ
琇一郎《しゅういちろう》にも一緒《いっしょ》にあちらで暮《くら》そうとずっといっとるのに全然《ぜんぜん》きいてくれん
日本《にほん》に一人《ひとり》じゃ寂《さび》しいじゃろうに
寂《さび》しくない
うむ
これだけ同居人《どうきょにん》がおればのう
いそうろう壱
いそうろう弐
にこ
いそうろう参
で
どれが本命《ほんめい》じゃ
…………………
おい俺も入ってるのか？
どうでしょうね

いい天気《てんき》じゃ
うず
うず
あの
あの
なんじゃ
琇一郎《しゅういちろう》さんのおじいさまですよね
わー優しそうな人だなぁ…
そうじゃ
琇一郎《しゅういちろう》の父親《ちちおや》がわしの一人息子《ひとりむすこ》じゃ
あ!
そうだ!
えっと
琥珀《こはく》と言《い》います
こはく…?
んー?
ちょっと貸して下さいね
えっと琥…珀です

おお
琥珀《こはく》！
アンバーの事《こと》だな！
わしの好《す》きな
宝石《ほうせき》の名前《なまえ》じゃ
にこにこ
わしは
栩堂信一郎《くどうしんいちろう》
だよ
すす
信…一郎…と
信一郎《しんいちろう》さん
ぷに
ん ー ！
そうじゃ
そうじゃ
しかし
琇一郎《しゅういちろう》は
せっかくわしが来《き》たのに
さっさと病院《びょういん》へ
いきおって
仕事だっ
せっかく
久《ひさ》しぶりの日本《にほん》じゃから
一緒《いっしょ》に遊《あそ》ぼうと
思《おも》ったのに！
くすん
琇一郎《しゅういちろう》さん
お忙《いそが》しいから…

あの よろしかったら ご一緒《いっしょ》しませんか!?
まだ地上《こっち》に 来《き》たばかりで 御案内《ごあんない》出来《でき》るとこも 少《すく》ないんですけど 一緒《いっしょ》にお散歩《さんぽ》しませんか?
おお それは 嬉《うれ》しい
…こっち?
しかし いいのかな? 何《なに》か用《よう》が あるんじゃ ないのか 娘《むすめ》さん
え…
娘《むすめ》さんじゃ ないんですが…
おお こんなかわいらしい 男《おとこ》の子《こ》が おるんじゃのう
最近の日本は…
いえ 男《おとこ》の子《こ》と いうわけでも…

娘さんでも男の子でもない？
……？
…あの天使《てんし》ですから
……天使《てんし》
わーははは！
しばらく帰《かえ》ってこん間《あいだ》にまた不思議《ふしぎ》な遊《あそ》びが流行《はや》っておるんだなあ!!
天使ごっこか？
はい
わはははは
あはは
?

おいおい
人間《にんげん》にいきなり
天使《てんし》だなんて言《い》っても
信《しん》じるわけないだろが
琥珀《こはく》は疑《うたが》う事《こと》を
知《し》りません
真実《しんじつ》は
ありのままに
嘘偽《うそいつわ》りなく
伝《つた》える…
変《か》わっていません
…だからこそ
天界《てんかい》での
『大事《だいじ》な役目《やくめ》』も
出来《でき》た…か
…そうですね
END

Contact.8
むかしのはなし

あらあら
はしゃいでるわね
琥珀ちゃんったら
今日は遊ばないの？
ちょっと
おでかけしてきます！
はい
いってらっしゃい
ぱたぱた
ぱち☆
い
いいいいいいい いってきまふ

とととと
こわがらせちゃ いけませんよ
なにも してないぜ
あの子《こ》が 地上《ちじょう》で学《まな》ぶ事《こと》は たくさんあります

でも
一番《いちばん》大切《たいせつ》な事《こと》は…
ピッ
ピピ
ピー
…しかし
あいつは…
琇一郎《しゅういちろう》さんが
教《おし》えてくれる
そう思《おも》うんです
ピ
あ
お湯《ゆ》が！
すっ
ピ
お茶
いれてきますねー
とととと

……あいつは……
なんだ あのじーさんは
はーい 探《さぐ》ってきましたー！

えっと あのおじいちゃんは 琇一郎《しゅういちろう》のおとうさんが 一人息子《ひとりむすこ》やねんて
んでもって カナダってとこから来《き》て ええ天気《てんき》やから 宝石《ほうせき》は琥珀《こはく》が 好《す》きやねんて
…わけが わからん
きゃ——
きゃ——
にゃ——
おひげがふさふさやった 琇一郎といっしょに あそぶっもりやったらし——
うちも 琇一郎と 遊びたい——
あのにーちゃんと おったら ごっつ—— きもち ええんやもん
で！ これからあのじーさんは 琥珀《こはく》と どこへいくんだ？
にゃ〜ん
にゃ〜ん
琥珀《こはく》ちゃんが このへん 案内《あんない》するって
琥珀《こはく》が？
にゃ
よし ちょうど 暇《ひま》だったんだ
……
いぢわる するんやねー！
さすが紅榴《こうりゅう》さま いけずできるタイミングは 見逃《みのが》せへんわ！
きゃー
いけずやいけずやぁ
も——にくいお人やわぁ——
ぱち
ぱち
ぱち

おお この辺《あた》りも 随分《ずいぶん》変《か》わったのう
信一郎《しんいちろう》さんも カナダにいかれる前《まえ》は ここに住《す》んでらしたんですか？
いや わしはここに 住《す》んだ事《こと》はないんじゃ
？
じゃ あのお家《うち》は 琇一郎《しゅういちろう》さんの…
あの家《いえ》は 琇一郎《しゅういちろう》の父親《ちちおや》 わしの息子《むすこ》の 家《いえ》なんじゃ
琇一郎《しゅういちろう》さんの… お父《とう》さん…

薬
琥珀《こはく》さんでいいかね
はい!
おおそうじゃ
レコード屋《や》を知《し》らんかねちょうど欲《ほ》しいCD《シーディー》があったんじゃ
知《し》ってます!
琥珀《こはく》ちゃんちゃんと案内《あんない》してるやん
やー やるもんだな
かんしん かんしん
ふんっ
魚屋《さかなや》か肉屋《にくや》に案内《あんない》してたら今頃《いまごろ》ひっくり返《かえ》ってただろうけどな

ニコ ニコ ニコ
このCD《シーディー》は日本《にほん》でしか手《て》にはいらんのだ有《あ》り難《がと》う
ご案内《あんない》しただけですからでも良《よ》かったですね
公園《こうえん》を知《し》っとるかね
他《ほか》にいきたい場所《ばしょ》ありませんか？
…公園《こうえん》？

この近《ちか》くに小《ちい》さな池《いけ》のある公園《こうえん》があったと思《おも》うんじゃが
ポン
あの大《おお》きな藤《ふじ》の樹《き》がある？
そうじゃそうじゃ！
知《し》ってます！琇《しゅう》一郎《いちろう》さんと良《よ》くお散歩《さんぽ》へいきますから！
あそこの藤《ふじ》は本当《ほんとう》に綺麗《きれい》で…
……？

…そうか 琇一郎《しゅういちろう》 良《よ》く いっとるのか
……信一郎《しんいちろう》さん…？
あの頃《ころ》と変《か》わっとらんなあ

ぎゅ
すみません でも…
あの…
…すごく 悲《かな》しそうな瞳《め》で… この樹《き》を見《み》て らっしゃったから…

ぎゅっ
いい子《こ》じゃな
ここはな 琇一郎《しゅういちろう》の母親《ははおや》が行方不明《ゆくえふめい》になった場所《ばしょ》なんじゃ
行方《ゆくえ》…不明《ふめい》…？
琇一郎《しゅういちろう》から聞《き》いとらんのか？
ふるふる
…しゃべりたくない事《こと》は答《こた》えないけれど
琇一郎《しゅういちろう》さんのことお聞《き》きしていいって おっしゃって頂《いただ》いたんですけど…
まだ たくさんは 聞《き》けてなくて…

琇一郎《しゅういちろう》は優《やさ》しい子《こ》なんだがな
どうも目《め》つきが悪《わる》いのと必要《ひつよう》な事《こと》以外《いがい》なんもしゃべらん性格《せいかく》のせいで誤解《ごかい》されがちじゃ
琥珀《こはく》さんみたいな子《こ》と一緒《いっしょ》に住《す》んどるとはびっくりしたが
ぷるぷる
違《ちが》うんです！
琇一郎《しゅういちろう》さんに助《たす》けて頂《いただ》いてそれでどうしてもお礼《れい》がしたくって！
それでそれで！お側《そば》においてくださいって無理《むり》にお願《ねが》いしたんです！
まあ 昔《むかし》から あんまりしゃべらん子《こ》じゃったが 母親《ははおや》の件《けん》があってから更《さら》に輪《わ》をかけて無口《むくち》になってしまってのう…
おまえさんとなら一緒《いっしょ》に暮《く》らしてもいいと思《おも》ったんだろう
むにっ

あの…琇一郎《しゅういちろう》さんのお母《かあ》さんはいつ頃《ごろ》…
琇一郎《しゅういちろう》が高校《こうこう》1年《ねん》の時《とき》じゃな
ちょうどあの日《ひ》も藤《ふじ》の花《はな》が満開《まんかい》じゃった
琇一郎《しゅういちろう》の母親《ははおや》がどこから来《き》たのかどういった生《お》い立《た》ちなのかいつ息子《むすこ》に会《あ》ったのかわしは全《まった》く知《し》らんかったが…
そんな事《こと》はどうでもいい事《こと》じゃ息子《むすこ》が愛《あい》した人《ひと》で生《う》まれた子供《こども》と親子《おやこ》3人《にん》幸《しあわ》せなら
あの家《いえ》で幸《しあわ》せに暮《く》らしていけるなら…

綺麗《きれい》なひとじゃった…
花《はな》や樹《き》が好《す》きでな あの家《いえ》にあれだけ色々《いろいろ》植《う》えさせたのは琇一郎《しゅういちろう》の母親《ははおや》なんじゃよ
このCD《シーディー》に入《はい》ってる曲《きょく》が大好《だいす》きだったんだ
…綺麗《きれい》な
…曲《きょく》ですね
おお その曲《きょく》知《し》っとるのかね
いえ 初《はじ》めてみました
?
???
?

今《いま》 綺麗《きれい》な曲《きょく》と言《い》わんかったか？
いいました本当《ほんとう》に綺麗《きれい》な曲《きょく》ですよね
しかし初《はじ》めてみたと…
?、?、みた?、きいたじゃなく?
あ これを見《み》せて頂《いただ》きましたから
ああの 分《わ》かるんです！こういう曲《きょく》とか音《おと》が入《はい》ったものとか…えっと 絵《え》と音《おと》が入《はい》ってるものとか
CD《シーディー》とかLD《エルディー》とか？
はい！
見《み》るだけで中身《なかみ》が？
はい!!
うむ—— 最近《さいきん》の日本《にほん》の子供《こども》はそんなことまで出来《でき》るのか…
ハイテクの国の子供、
ほー
わかってもらえたみたい…

あら いつも変な歌歌っている子だわ
今日は変な歌じゃないわ！
綺麗な曲ねー

サワサワ
ザワ
パシャ
パシャ
ビリビリ

…あれ…
藤《ふじ》の樹《き》が…
喜《よろこ》んでるみたい…
ぱちぱちぱち
素晴《すば》らしい！
…？
まるで天使《てんし》の歌声《うたごえ》のようじゃったよ！
あのー天使なんですけど…
てれっっ
なつかしいのう
あの人《ひと》が歌《うた》っておったようじゃった
あの…琇一郎《しゅういちろう》さんの…お父様《とうさま》は…

琇一郎《しゅういちろう》が高校《こうこう》2年《ねん》の時《とき》に飛行機事故《ひこうきじこ》で逝《い》ってしまいおった
なでなで
すまん すまん つい昔話《むかしばなし》をしてしまった
琥珀《こはく》さんといるとなんでも話《はな》してしまいたくなるのう

琇一郎《しゅういちろう》もきっと
こんな気持《きも》ちだったんじゃろう
あの無愛想《ぶあいそう》が
自分《じぶん》の事《こと》を聞《き》いてもいいとは…
大雨《おおあめ》でも降《ふ》りかねん
よし！綺麗《きれい》な歌《うた》も聞《き》かせてもらったし！
わしが何《なに》かおごろう！
ぽんぽん
ほえ？
キョロ
キョロ
おお！あれにしよう！何《なに》がいいかな
あ あの！おごって頂《いただ》くってお金《かね》を使《つか》って頂《いただ》くんですよね!?

そうじゃが
ぶんぶん
駄目《だめ》です！
お金《かね》を使《つか》って
頂《いただ》くなんて！
お金《かね》って
手《て》に入《い》れるのが
すっっっごく
大変《たいへん》なんですよね！
だから
絶対駄目《ぜったいだめ》です！
そんな
カンジュース いっぱいで
おおげさな…
わたしたちにも
おごってくれるかしら
うむ―――
缶《かん》ジュース一杯《いっぱい》で
これ程激《ほどはげ》しい
リアクションが
返《かえ》ってくるとは
駄目です!!
ますます
おごりたく
なったわい
わははは
琥珀《こはく》さんは
飲《の》み物《もの》は
何《なに》が好《す》きじゃ？
ほえ？
えっと…
ミルク…
ていうか
ミルクしか飲めない…
ミルク！
わしも好《す》きじゃが
販売機《はんばいき》には
売《う》ってないのう
確《たし》か公園《こうえん》の前《まえ》に
コンビニエンス
ストアがあった
ちょっと
行《い》ってこよう
ちょっと
あのおじーさん
すごく足早いわよ
本当にじーさんなので
スタスタ
スタ
すてき
わたしけっこう
タイプよ
しぶ好みなのね
信一郎《しんいちろう》さん!!

…琇一郎《しゅういちろう》さんの
ここはな
琇一郎《しゅういちろう》の母親《ははおや》が
行方不明《ゆくえふめい》になった
場所《ばしょ》なんじゃ
…お母《かあ》さん…
行方不明《ゆくえふめい》って
どうして…
まさか…
木々《きぎ》に住《す》む精霊《せいれい》よ
我《わ》が問《と》いかけに答《こた》えよ
ザァ
サワサワ

教《おし》えて ここで… 亡《な》くなった人《ひと》は …いる？
サワサワ
…よかった いないんだね
じゃ…一体《いったい》…どこへ…
時《とき》を遡《さかのぼ》れば 分《わ》かるかも しれないなあ！
紅《こう》榴《りゅう》!!

過去《かこ》に戻《もど》ってみれば琇一郎《しゅういちろう》の母親《ははおや》がどうなったか分《わ》かるかもしれないぜ

また聞《き》いてたんだね

うちら悪魔やから〃
まぁ盗み聞きくらいは当然や思うんやけど……

時間《じかん》を遡《さかのぼ》るなんて出来《でき》るわけないじゃない
おまえだけだったらな
え？
俺様《おれさま》が一緒《いっしょ》にやれば
ま 出来《でき》なくはないだろうな
ええええ!? 紅榴様《こうりゅうさま》が琥珀《こはく》ちゃんの手伝《てつだ》いを!?
面倒《めんどう》なことは爪《つめ》の先《さき》ほどもせえへん紅榴様《こうりゅうさま》が!?

まあ 未来《みらい》へいく法願《ほうがん》は もっと上級《じょうきゅう》の天使《てんし》と悪魔《あくま》… 翡翠《ひすい》と黒耀《こくよう》くらいの 法願力《ほうがんりょく》の持《も》ち主《ぬし》じゃなきゃ 無理《むり》だが
過去《かこ》へなら 俺《おれ》とおまえで いけるぜ
…一緒《いっしょ》に いってやっても いいんだぜ
…どうして？ 紅榴《こうりゅう》が手伝《てつだ》って くれるなんて…

へんやな
シュルルル
別《べつ》に一
暇《ひま》だからな

…やっぱり…いい
もし
母親《ははおや》の行方《ゆくえ》が
分《わ》かったら
琇一郎《しゅういちろう》の
役《やく》に立《た》てるかも
しれないなあ！

きゅ・・
…て…
手伝《てつだ》って…
END

Contact.9
藤《ふじ》の花《はな》の下《した》

開《ひら》け　時《とき》の扉《とびら》よ

過《す》ぎ去《さ》りし日《ひ》に
我《われ》らを招《まね》き入《い》れよ

なんで琥珀《こはく》ちゃんちっちゃなんの？
一緒《いっしょ》に法願《ほうがん》使《つか》う時《とき》は力《ちから》の大《おお》きさも同《おな》じにせんとあかんからな
琥珀《こはく》ちゃんはほえほえやけど法願使《ほうがんつか》いとしては地界《ちかい》でも指折《ゆびお》りの紅榴様《こうりゅうさま》とええ勝負《しょうぶ》の法願力《ほうがんりょく》の持《も》ち主《ぬし》やさかい

なるほど――

ここから
いこうぜ
この樹《き》には
何《なに》か『力《ちから》』が宿《やど》ってる
こくん
ポオオオオ

…この法願《ほうがん》は…
時《とき》を遡《さかのぼ》るための…！
ちっ
…紅榴《こうりゅう》とあのちっこいのか
ちょっと人ん家の居間でなにやってるの かしら…
…ナニじゃない…
ちょっ 邪魔が入ったわっ
すっ
大人ね…
ニコッ

…信一郎《しんいちろう》さん…ミルク買《か》いにいってくださったのに…
今《いま》は『過去《かこ》』だからな戻《もど》ったって『現在《いま》』の時間《じかん》は流《なが》れてないさ
…そうだけど…
無事《ぶじ》戻《もど》れれば…な

さてと ちょうど 13年前《ねんまえ》の同《おな》じ日《ひ》に 来《き》てみたが
…この藤《ふじ》さん… なんだか 『現在《いま》』より もっと…
…すげー『力《ちから》』を 感《かん》じるな
さわ
さわ
さわ
この樹《き》も 気《き》になるが… まず 琇一郎《しゅういちろう》の 家《いえ》だな いくぞ
スイ

さわさわ
すーっ
…誰《だれ》も
驚《おどろ》かないね
ちっちゃいまま
飛《と》んでても
『過去《かこ》』では
俺達《おれたち》は
『存在《そんざい》しないもの』
だからな
誰《だれ》も見《み》えてないんだ
驚《おどろ》くわけねーだろ
おめーほんとにちゃんと勉強してんのかっ
やあーん

おっと
琇一郎《しゅういちろう》の
家《いえ》だ
すりすい
昔《むかし》から
この家《いえ》の樹《き》は
いい子達《こたち》ばっかり
だったんだね
パタパタ
カラッ
…人《ひと》の気配《けはい》が
しない…
誰《だれ》も
いないのかな…

あ…

人《ひと》の気《け》配《はい》はなかったぞ！

…だあれ？
時《とき》を遡《さかのぼ》ってきた俺達《おれたち》が見《み》えるはず…！
…ちっちゃいのね…可愛《かわい》い
見《み》えてるみたい…

こっちへこない？
おい！迂闊《うかつ》に近寄《ちかよ》るな！
スィ
でも…
あんなに綺麗《きれい》に笑《わら》う人《ひと》だもの…
悪《わる》い人《ひと》じゃないと思《おも》う
俺《おれ》はまるで天使《てんし》みたいに笑《わら》える悪魔《あくま》を知《し》ってるぞ

こ
こんにちは
にこ
本当《ほんとう》に綺麗《きれい》な人《ひと》だ…
どきどきどき
可愛《かわい》い羽根《はね》ね…
名前《なまえ》は…？
え
えっと琥珀《こはく》です
貴方《あなた》は？
紅榴《こうりゅう》

琥珀《こはく》と紅榴《こうりゅう》
どちらも宝石《ほうせき》の名前《なまえ》ね
私《わたし》は 蛍《ほたる》

…あちらの公園《こうえん》で法願《ほうがん》を使《つか》った名残《なごり》を感《かん》じます
ザザ

時《とき》を遡《さかのぼ》る法願《ほうがん》には
面倒《めんどう》な決《き》まりごとが
多《おお》すぎる
だから俺は
やらない
面倒だから
軽々《かるがる》しく
使《つか》うものではないと
琥珀《こはく》も良《よ》く知《し》っている
筈《はず》なのですが…

どこから来《き》たの?
つんっん
あのみら…
過去《かこ》の人間《にんげん》と関《かか》りをもっちゃいけないんじゃなかったっけか?
…未来《みらい》の匂《にお》いがする
すっ

…あんた
何者《なにもの》だ？
過去《かこ》の人間《にんげん》には
時《とき》を遡《さかのぼ》ってきた者《もの》の
姿《すがた》は見《み》えない筈《はず》だ
おまけに 今《いま》
琥珀《こはく》にさわった！
過去《かこ》の人間《にんげん》が
未来《みらい》から来《き》た人間《にんげん》に
触《ふ》れられるなんて
聞《き》いた事《こと》もないぞ！
にこ
キ
やめて!!

蛍《ほたる》さんは
悪《わる》い人《ひと》じゃないもん！
なんでそんな事《こと》が分《わ》かるんだよ！
り 理由《りゆう》はないけどでも違《ちが》うもん！
理由《りゆう》もないのに言《い》い切《き》るな！
だって――！
くすくす
楽《たの》しそう
あの あの ここは栩堂《くどう》さんのお家《うち》でしょうか

そうよ
じゃ琇一郎《しゅういちろう》さんは…
今《いま》ちょっとおでかけしているわ
あ あの…じゃ じゃあ琇一郎《しゅういちろう》さんのお母様《かあさま》は…
…私《わたし》よ
ほえ？
私《わたし》が琇一郎《しゅういちろう》のお母《かあ》さんよ
ええええええええええ!?

キィ
カタン
はっ
琇一郎《しゅういちろう》こっちよ
さっ
カタ
琇一郎《しゅういちろう》さん!
…あいつ
高《こう》1の時《とき》から
あんな顔《かお》してたのか

お帰《かえ》りなさい
…暑《あつ》くなかったか
たくさんお昼寝《ひるね》出来《でき》たわ…
それに
可愛《かわい》い人《ひと》も遊《あそ》びに来《き》てくれたし
……?
どきーっ
…着替《きが》えたい
手伝《てつだ》って
ぱたぱた
おいで おいで

…ついてこいってか？
あの人《ひと》が…本当《ほんとう》に琇一郎《しゅういちろう》さんのお母《かあ》さん…？
嘘《うそ》だろ 琇一郎《しゅういちろう》が高校《こうこう》1年《ねん》ってことは15か16歳《さい》あの蛍《ほたる》って奴《やつ》はどう見《み》たって13、14歳《さい》だぞ
入《はい》ってらっしゃい
大丈夫《だいじょうぶ》よ いらっしゃい
あんた 本当《ほんとう》に何者《なにもの》だ？
おじゃましまーす
なにもの…？

私《わたし》は蛍《ほたる》よ
名前《なまえ》は分《わ》かった しかし ただの主婦《しゅふ》じゃねえだろ!!
あの…
この歌《うた》ご存《ぞん》じですか?
どきどき
さわ
さわ さわ
…庭《にわ》の樹達《きたち》が歌《うた》に反応《はんのう》して騒《さわ》いでる…

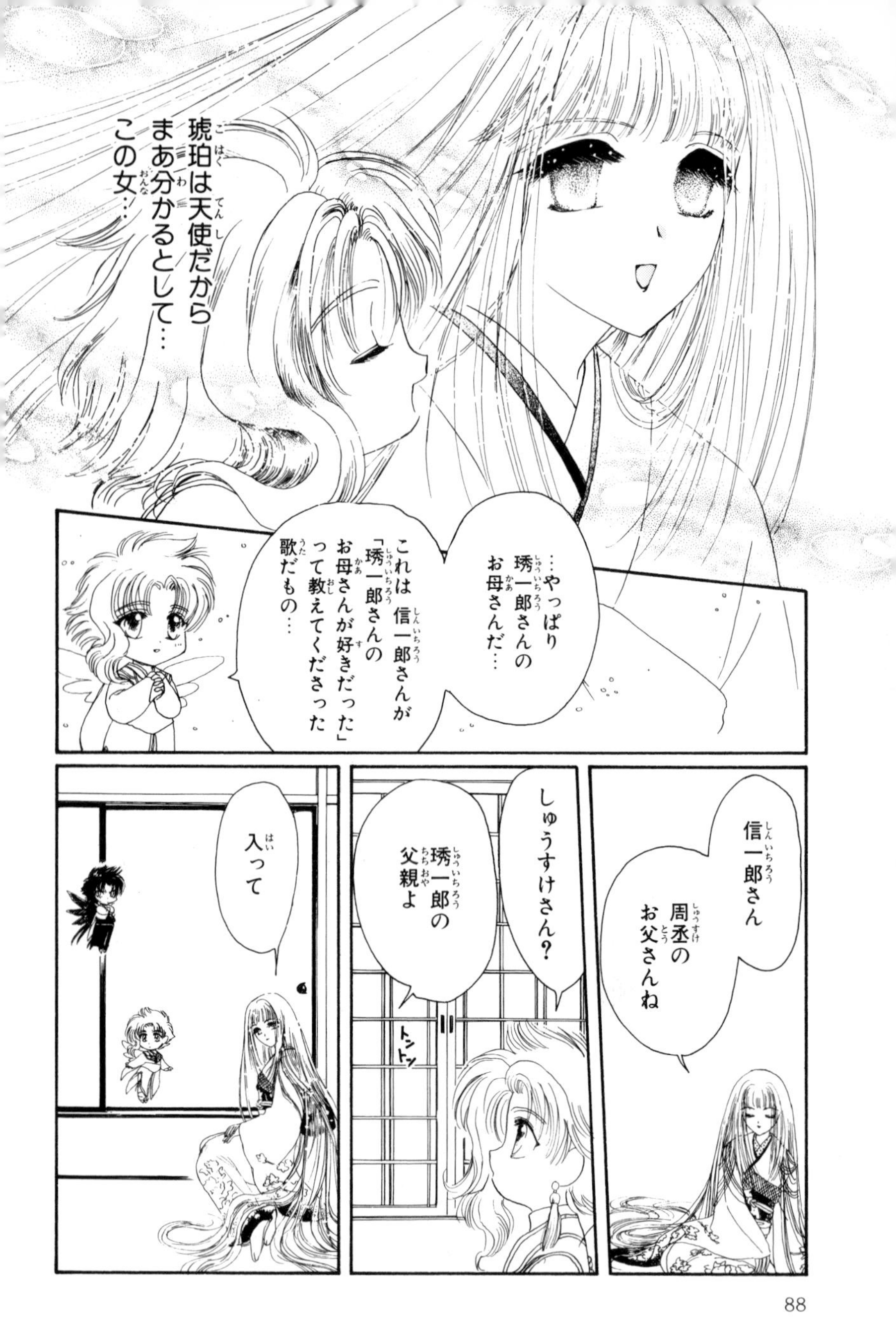

琥珀《こはく》は天使《てんし》だから
まあ分《わ》かるとして…
この女《おんな》…
…やっぱり琇一郎《しゅういちろう》さんのお母《かあ》さんだ…
これは信一郎《しんいちろう》さんが「琇一郎《しゅういちろう》さんのお母《かあ》さんが好《す》きだった」って教《おし》えてくださった歌《うた》だもの…
信一郎《しんいちろう》さん 周丞《しゅうすけ》のお父《とう》さんね
しゅうすけさん？
琇一郎《しゅういちろう》の父親《ちちおや》よ
トントン
入《はい》って

カタン
有《あ》り難《がと》う
お願《ねが》いしたとおりの着物《きもの》ね
眼《め》が見《み》えない私《わたし》が着物《きもの》の柄《がら》が分《わ》かって不思議《ふしぎ》？
え…眼《め》が見《み》えないって…
おいおい俺達《おれたち》にちゃんと視線《しせん》を合《あ》わせたぞ
…もう慣《な》れた

なあに？
なにも
琇一郎《しゅういちろう》って…
…？
着替《きが》えるんだろう
この藤《ふじ》の着物《きもの》 好《す》きよ
周丞《しゅうすけ》が買《か》って
くれたんですもの
今日《きょう》帰《かえ》ってくるから
見《み》せてあげるの

脱《ぬ》がせて

…蛍《ほたる》さん 琇一郎《しゅういちろう》さんより 年下《としした》にしか 見《み》えないね
…と言《い》うより ありゃ
ただの人間《にんげん》じゃねーぞ
END

Contact.10
指《ゆび》の糸《いと》の先《さき》

人間《にんげん》じゃないって…？
あいかわらずぼけてんなー
あの目《め》だよ
よくみてみろあの蛍《ほたる》って奴《やつ》の目《め》
…紫色《むらさきいろ》…？

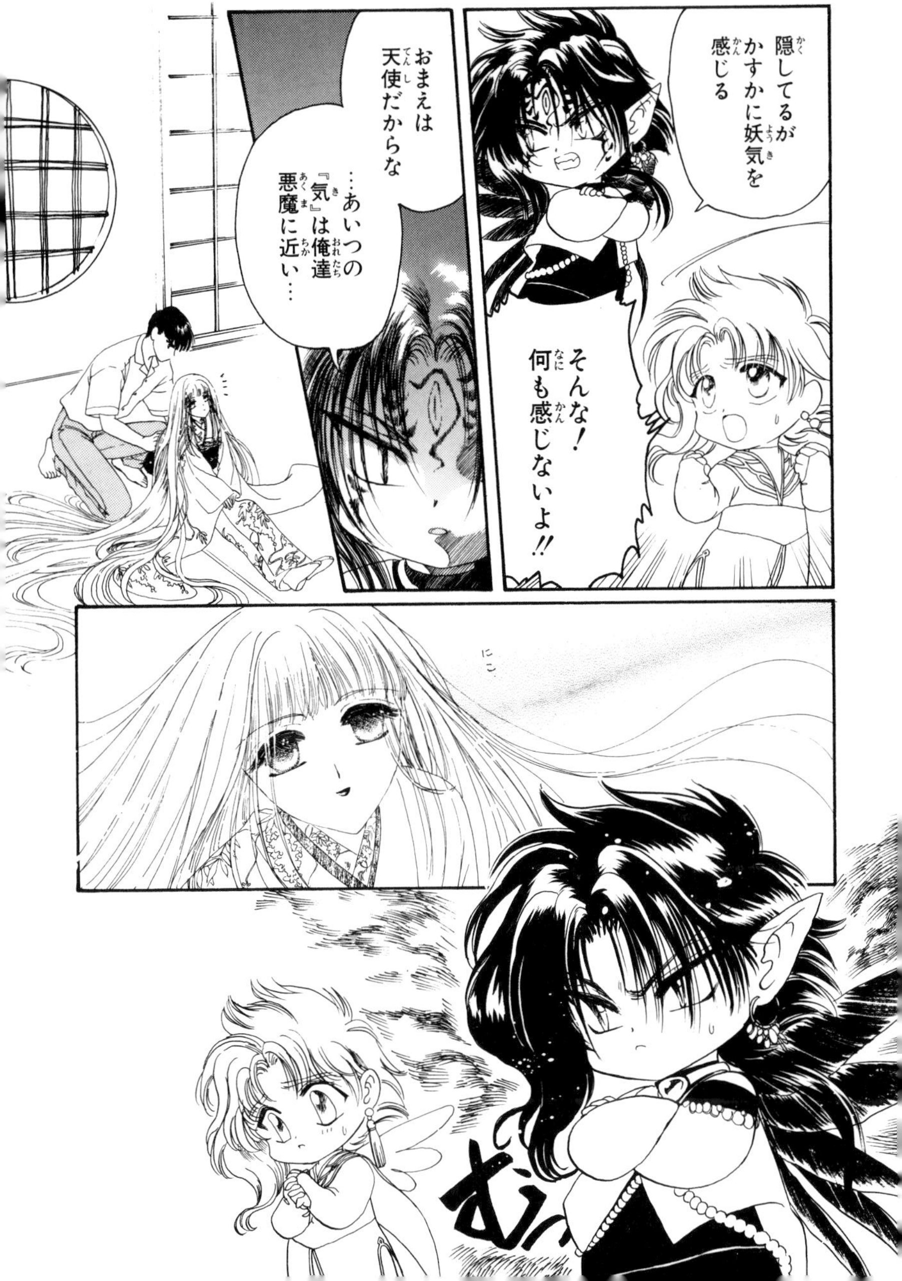

隠《かく》してるが かすかに妖気《ようき》を 感《かん》じる
そんな！ 何《なに》も感《かん》じないよ!!
おまえは 天使《てんし》だからな
…あいつの 『気《き》』は俺達《おれたち》 悪魔《あくま》に近《ちか》い…
にこ
む

ありがとう
あのね…
私《わたし》 今日《きょう》この家《いえ》から 出《で》ていくわ
元《もと》の私《わたし》に戻《もど》るの

どうして…
周丞《しゅうすけ》がいなくなってしまうから
…いつ？
ちょうど1年後《ねんご》の今日《きょう》
どういうこと…？
わからん
周丞《しゅうすけ》死《し》んでしまうの1年後《ねんご》の今日《きょう》飛行機《ひこうき》で
…親父《おやじ》が
…ええ
わかるの
だって…

周丞《しゅうすけ》は私《わたし》の指《ゆび》の先《さき》の糸《いと》が…繋《つな》ってる人《ひと》だもの
琇一郎《しゅういちろう》さん…
周丞《しゅうすけ》がいないなら私《わたし》はここにいてもしょうがないわ
…1年《ねん》も先《さき》のことなのに？
私達《わたしたち》には1年《ねん》も1日《にち》も同《おな》じことよ

それに…
周丞《しゅうすけ》と会《あ》えない日《ひ》がくるって分《わ》かってしまったもの
もうずっと微笑《わら》ってはいられない
周丞《しゅうすけ》は私《わたし》の笑顔《えがお》が一番《いちばん》好《す》きだといってたから
もう微笑《わら》えないなら側《そば》にいられないわ
きっと…
泣《な》いてしまうもの
周丞《しゅうすけ》に泣《な》いた顔《かお》見《み》せたくない
だから元《もと》の私《わたし》に戻《もど》るの

だからね
今日《きょう》は一番《いちばん》綺麗《きれい》な私《わたし》でいたい
有《あ》り難《がと》う 着物《きもの》 上手《じょうず》に着《き》せてくれて
ビー ビー
周丞《しゅうすけ》だわ 玄関《げんかん》までつれてって

今日《きょう》の夜《よる》…
猫《ねこ》の爪《つめ》の月《つき》が空《そら》に浮《う》かんだら…迎《むか》えにきて
周丞《しゅうすけ》は眠《ねむ》っててもらうわだから…
つれてって
あの公園《こうえん》の藤《ふじ》の花《はな》の下《した》に

どういう事《こと》なんだ…？
琇一郎《しゅういちろう》の母親《ははおや》は行方不明《ゆくえふめい》になったんだったよな
ほたるさんが言ってたとおり
うん…
それに琇一郎《しゅういちろう》さんのお父様《とうさま》は確《たし》かに飛行機事故《ひこうきじこ》でお母様《かあさま》が行方不明《ゆくえふめい》になった1年後《ねんご》に亡《な》くなったって…
やっぱただの人間《にんげん》じゃなかったな
見《み》ろ俺様《おれさま》のいったとおりだったじゃねーか！
笑顔が綺麗だからっていい奴とは限らないっ
しかし『元《もと》に戻《もど》る』ってどういう意味《いみ》だ？
琇一郎《しゅういちろう》さん…

紅榴《こうりゅう》さまと琥珀《こはく》ちゃん
どないしてるかな——
まあ行《い》ったんは『過去《かこ》』やさかいすぐ戻《もど》ってきはるって
またなんやもめごとが起《お》こってんのかなー
もめごとええなー
んーんっとりーええひびきや
だいすきー だいすきー
そんで美味《おい》しい魂《たましい》とか食《た》びられるともっとうれしいー
紅榴《こうりゅう》さまお土産《みやげ》にもってかえってきてくれへんかなあ
いやよーわからんのやけど
ふるんふるん
過去《かこ》の魂《たましい》ってもってこれんの?

『過去《かこ》』の魂《たましい》を『現在《いま》』に持《も》ち帰《かえ》るのは天界《てんかい》・地界《ちかい》の条約《じょうやく》で禁止《きんし》されていますよ
うにゃア!!
翡翠様《ひすいさま》!! 黒燿様《こくようさま》!!

…やっぱり ここか
びびくん
瑠璃《るり》 破璃《はり》 ちっこい天使《てんし》と紅榴《こうりゅう》は どの時代《じだい》にいったんだ
駄目《だめ》ですよ 威圧《いあつ》しちゃ
俺は普通に話してるぞ
二人《ふたり》が 何時《いつ》へいったのか 教《おし》えて頂《いただ》けませんか？
泣かないで なにもされませんから
えぐえぐ
げしょげしょ
ぷるぷる
13年前《ねんまえ》
琇一郎《しゅういちろう》の 役《やく》に立《た》ちたいって 琥珀《こはく》ちゃんが
えぐえぐ
琇一郎《しゅういちろう》さんの？

琇一郎《しゅういちろう》さん…すごく辛《つら》そうだった…
顔《かお》は変《か》わらんけどな
無口で無表情は昔からだったんだな
でも…痛《いた》いの我慢《がまん》してるみたいな目《め》だったよ
痛《いた》い？どこが
…心《こころ》
あのな〜
カク

…周丞《しゅうすけ》
良《よ》く眠《ねむ》ってたでしょ
良《よ》く似合《にあ》うって誉《ほ》めてくれたわ この着物《きもの》
…有《あ》り難《がと》う 周丞《しゅうすけ》に黙《だま》っていてくれて
待《ま》って

今《いま》まで
お昼寝《ひるね》させて
くれて有《あ》り難《がと》う
さよなら
一緒《いっしょ》に
いらっしゃい
可愛《かわい》い人《ひと》が
いるの
二人《ふたり》

ドキッ
見《み》えない…？
……ああ
きっと今《いま》の琇一郎《しゅういちろう》なら見《み》えるのに

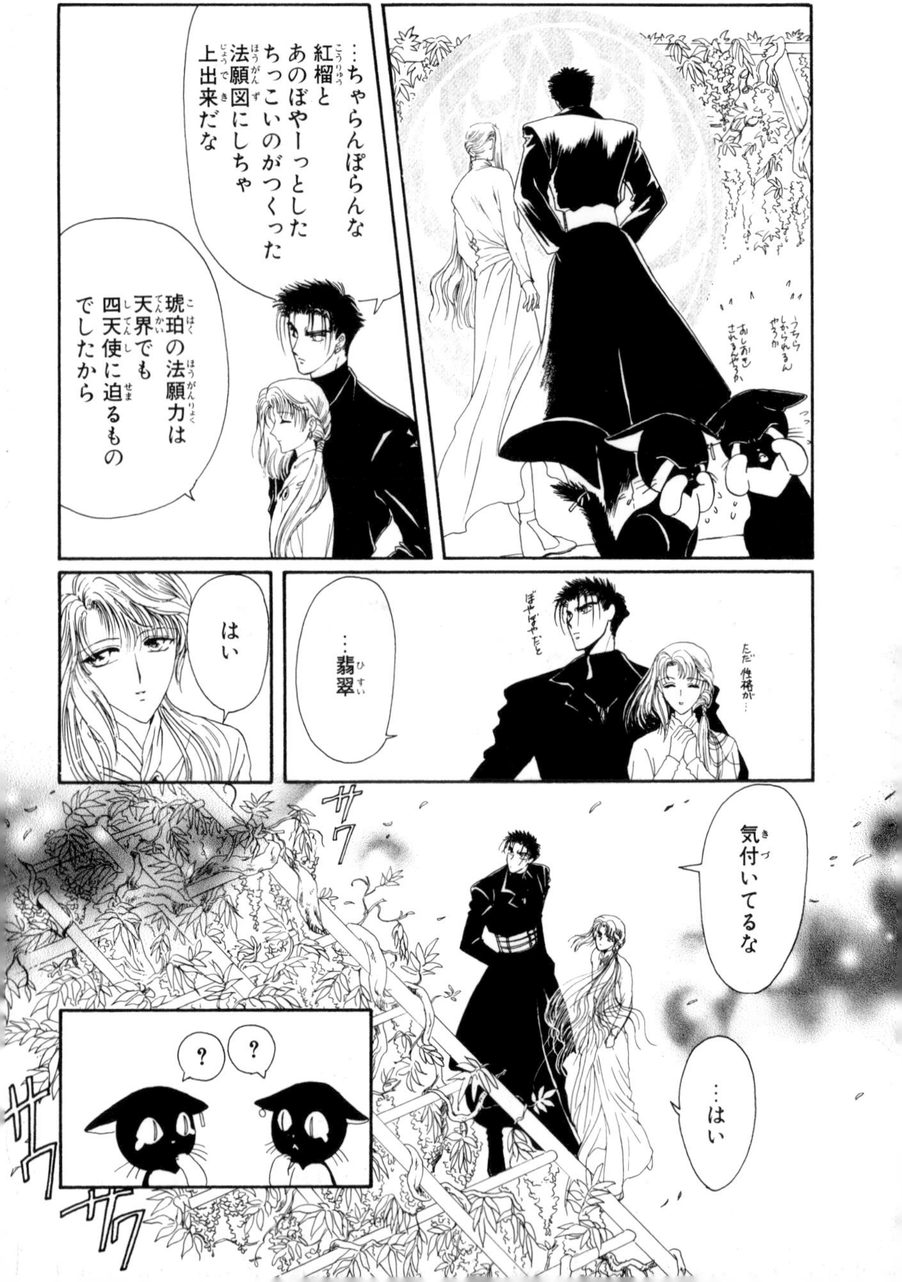
うちら しかられるんやろか
おしおきされるんやろか
…ちゃらんぽらんな紅榴《こうりゅう》とあのぼやーっとしたちっこいのがつくった法願図《ほうがんず》にしちゃ上出来《じょうでき》だな
琥珀《こはく》の法願力《ほうがんりょく》は天界《てんかい》でも四天使《してんし》に迫《せま》るものでしたから
ただ性格が…
ぼやぼやだと
…翡翠《ひすい》
はい
気付《きづ》いてるな
…はい
サワ
サワ
サワ
?
?

すげー『気《き》』だぜ
この藤《ふじ》
二人《ふたり》はここから
『過去《かこ》』へ
いったんですね
こくこく
…何《なに》も
なければ
良《よ》いのですが…
ザワ
なになに!?
この『妖気《ようき》』は
なにー!?

ヒュオオオ
…琥珀《こはく》
な…なに？
気付《きづ》いてるな
…うん

すげー『気《き》』だぜ この藤《ふじ》
…降《お》ろして
有《あ》り難《がと》う 琇一郎《しゅういちろう》

…親父《おやじ》じゃなきゃ駄目《だめ》なのか
俺《おれ》がいるだけじゃ駄目《だめ》なのか
俺《おれ》がいくなって言《い》ってもか
だって…

琇一郎《しゅういちろう》は 私《わたし》の『糸《いと》の先《さき》』じゃないもの
この指《ゆび》の糸《いと》の先《さき》は…私《わたし》には繋《つな》っていないもの
もっと他《ほか》の…とても綺麗《きれい》な人《ひと》に…繋《つな》っているのよ
俺《おれ》は…
蛍《ほたる》しかいらない
いいえ それはまだ その人《ひと》に会《あ》っていないから

蛍《ほたる》！
『蛍《ほたる》』って名前《なまえ》…
好《す》きよ
周丞《しゅうすけ》がつけてくれた
名前《なまえ》だから…

私《わたし》をここで見付《みつ》けて…
好《す》きだと言《い》ってくれて…
お嫁《よめ》さんにしてくれたんだもの
貴方《あなた》は私《わたし》の子供《こども》じゃないけれど…
でも…大好《だいす》きよ
周丞《しゅうすけ》の次《つぎ》に好《す》き
…もし…俺《おれ》が…

俺《おれ》が親父《おやじ》より先《さき》に
ここへ来《き》て
蛍《ほたる》を見付《みつ》けてたら…
まってて
すぐよ…
貴方《あなた》の
指《ゆび》の糸《いと》の
先《さき》は…
ちゃんと
『未来《みらい》』へ繋《つなが》っているから」

さわ
さわ
蛍《ほたる》さん…… …藤《ふじ》の精《せい》だったんだね……
だから目《め》がみえなくて歩《ある》けなかったんだ……
あんなのがすんでたんだったら妖気もすごいはずだ
……ただの人間《にんげん》じゃねーわけだ
木は見えなくても感覚で分かるし歩く必要ねーからな…

痛《いた》い…
…胸《むね》が痛《いた》い…どうして…
すっ
琥《こ》珀《はく》！

とりあえず母親《ははおや》がいなくなった真相《しんそう》は分《わ》かったな
ということで俺《おれ》は帰《かえ》るぞ！
え!?
『過去《かこ》』にいくのは一人《ひとり》じゃ無理《むり》だが二人《ふたり》でつくった法願図《ほうがんず》を通《とお》って帰《かえ》るのは一人《ひとり》でも出来《でき》るからな
ズズズ
紅榴《こうりゅう》!!

ま 13年前《ねんまえ》の世界《せかい》で
ゆっくりしてけ
誰《だれ》もお前《まえ》のことは
見《み》えないけどな
まって!
13年《ねん》経《た》ったら
『現在《いま》』と同《おな》じ
時間《じかん》になるから
心配《しんぱい》するな
天使だから長命だしな
10年くらいたいしたことないし
あ この法願図《ほうがんず》は
俺《おれ》がもって帰《かえ》って
やる!
じゃーなー!
グイッ
ギュオ
紅《こう》榴《りゅう》ーー!!!
END

痛《いた》みの理由《わけ》
Contact.11

どうしよう…帰《かえ》れない…
…琇一郎《しゅういちろう》さん

……
胸《むね》が痛《いた》い…
どうして…？
琇《しゅう》一郎《いちろう》さんが悲《かな》しんでるから…？
違《ちが》う きっと…
違《ちが》うと思《おも》う…
…このまま …琇《しゅう》一郎《いちろう》さんに会《あ》えないまま
13年《ねん》も…
ここで待《ま》ってなきゃいけないから…

ヒラ…
泣《な》かないで…
蛍《ほたる》さん!?
帰《かえ》れなくなってしまったの…?
…はい
帰《かえ》れないのが悲《かな》しいの…?
…違《ちが》います…
じゃどうして泣《な》いているの…?

きっと…
…このまま
ずっと…
琇一郎《しゅういちろう》さんに
気《き》づいて
もらえないから…
ポロポロ
どうして琇一郎《しゅういちろう》に
会《あ》えないと
悲《かな》しいの？
…琇一郎《しゅういちろう》さんは
いい人《ひと》です！
困《こま》っているところを
助《たす》けて頂《いただ》きましたし
翡翠様《ひすいさま》たちにも
優《やさ》しくしてくださるし！
それに！ それに！
優《やさ》しくていい人《ひと》は
琇一郎《しゅういちろう》だけでは
ないでしょう

ザァァァ
琇《しゅう》一《いち》郎《ろう》さんだから…？

誰《だれ》か いるのか?
見《み》えるんですか!?
…どうして 誰《だれ》もいないのに 声《こえ》がするんだ?
琇《しゅう》一《いち》郎《ろう》さん!
…誰《だれ》だ どうして 俺《おれ》の名前《なまえ》を…

ふー
あー ひと仕事おえたねえ あれ？
？
黒耀《こくよう》!!
わあ おどろいた

琥珀《こはく》は
どうしました?
なんのことだ?
ごめんにゃさいいいいい
紅榴《こうりゅう》さまが
琥珀《こはく》ちゃんと一緒《いっしょ》に
過去《かこ》へいったって
言《ゆ》うてしもてん
ころされるかと
おもてんやもん…
うるうるうるうるうる
おこるて。
おこるて。
ぷるぷる
おまえらなー!
おまえ
一人《ひとり》で
帰《かえ》ってきたのか
さーな
連《つ》れ戻《もど》さないと…
『過去《かこ》』のものを
『現在《いま》』に持《も》ち帰《かえ》るのは
条例《じょうれい》で禁止《きんし》だぜ
私《わたし》は
もう天使《てんし》では
ありませんから
にこ
俺《おれ》のためにな
昼間《ひるま》っから
いちゃいちゃ
するな——!

しかし
天使《てんし》を一人《ひとり》
過去《かこ》から連《つ》れて
帰《かえ》るのは
あまり簡単《かんたん》な
ことじゃねえな
失敗《しっぱい》したら
しゃれじゃすまんぞ
こっちも
分《わ》かって
います…
ニコ
手伝《てつだ》って
くださいますか？
俺《おれ》がおまえの
頼《たの》みを断《ことわ》れるわけ
ねえだろ
すみません
だからー！
いちゃいちゃは
やめろー！
元はといえば
おまえが
ちっこいのを
置いて
くるから
だろう、
やめろー
ばたばた
やっぱり紅榴さま
ただで琥珀ちゃんの
手伝いしたったん
ちゃうかったなー
うん
藤《ふじ》が…！

あの藤《ふじ》は琇《しゅう》一《いち》郎《ろう》の母《はは》親《おや》なんだ!
はあ!?

琇《しゅう》一《いち》郎《ろう》さん!
やっぱり…琇一郎《しゅういちろう》には聞《き》こえるのね貴方《あなた》の声《こえ》が…
蛍《ほたる》さんの声《こえ》は聞《き》こえないんですか?
私《わたし》は藤《ふじ》の樹《き》に戻《もど》ってしまったから…もう駄目《だめ》
琇一郎《しゅういちろう》さんだから…
側《そば》にいるのに琇一郎《しゅういちろう》さんに気《き》づいてもらえないから…
こんなに胸《むね》が痛《いた》いのかな

…泣《な》かないで…
貴方《あなた》は天使《てんし》ね
未来《みらい》から来《き》た天使《てんし》
13年後《ねんご》の琇一郎《しゅういちろう》を知《し》っているのね
…可愛《かわい》い天使《てんし》さん
私《わたし》が連《つ》れてってあげる貴方《あなた》が来《き》た『未来《みらい》』へ
そんな…!『未来《みらい》』へ誰《だれ》かを送《おく》るのは天使長《てんしちょう》にも出来《でき》ないこと…!

もし出来《でき》たとしても
貴方《あなた》が!!
…私《わたし》はたくさん生《い》きたわ
それにすぐ死《し》ぬ訳《わけ》じゃない
1年後《ねんご》の事故《じこ》の日《ひ》まで
周丞《しゅうすけ》をずっと見《み》ていたいし…
琇一郎《しゅういちろう》が大《おお》きくなったところも
見《み》たいし
それに…
13年後《ねんご》の
貴方《あなた》に会《あ》いたいし
蛍《ほたる》さん…
ポオオオオ

ニュル
琇《しゅう》一《いち》郎《ろう》さん!!
13年後《ねんご》の夜《よる》に カラスにいぢめられてる 天使《てんし》がいたら… 助《たす》けてください!
⁉
じゃないと 貴方《あなた》に…!!
会《あ》えなくなっちゃう

カァァァァァァ
ふぎゃー!
とぶ とぶ~
サァァァァァ
スゥゥ

琥珀《こはく》!?
なんで一人《ひとり》で『過去《かこ》』から帰《かえ》って来《こ》られるんだ!?
蛍《ほたる》さん!!
貴方《あなた》と一緒《いっしょ》に歌《うた》えて…楽《たの》しかったわ
はら
はら

ごめんなさい！無理《むり》に力《ちから》を使《つか》ったから…！
泣《な》かないで… 私《わたし》嬉《うれ》しいのよ これで周丞《しゅうすけ》の側《そば》にいけるわ
有《あ》り難《がと》う 可愛《かわい》い天使《てんし》さんと悪魔《あくま》さん
琇一郎《しゅういちろう》を… お願《ねが》いね

蛍《ほたる》さん!!
…力《ちから》を
使《つか》い果《は》たしたな…

でも…喜《よろこ》んでるぞこの樹《き》
過去《かこ》で何《なに》かあったんですか？
胸《むね》が…
胸《むね》が痛《いた》かったんです
じいさんが来《く》る俺《おれ》はこいつらを連《つ》れて先《さき》に帰《かえ》ってるぞ
おねがいします…
あのまま『過去《かこ》』にいたら13年《ねん》も琇一郎《しゅういちろう》さんと会《あ》えなくなってしまうって…考《かんが》えたら…胸《むね》が…
…琥珀《こはく》…

やあ
そこのコンビニ前《まえ》で
琇一郎《しゅういちろう》に会《あ》ってな
…蛍《ほたる》…

…どうした
わ——
藤の木が〜、
何があったんじゃー
…見《み》えますよね
…ああ
?
木が…
ミルクが…

もう お帰《かえ》りになるんですか
わしも カナダで会社《かいしゃ》を 経営《けいえい》してるんでな 帰《かえ》ったら すぐ会議《かいぎ》じゃ
とんとん
今度《こんど》は 来《く》る前《まえ》に 連絡《れんらく》してくれ
まったくじゃ 今度《こんど》こそ 琇一郎《しゅういちろう》の手作《てづく》り料理《りょうり》で もてなして もらわんとな
おいおい

…琇《しゅう》一《いち》郎《ろう》をよろしくな
?
?
?
…いい人《ひと》と一緒《いっしょ》で安心《あんしん》したよ
じゃあな!!

あの
駅《えき》までお見送《みおく》り…！
ぐい
外《そと》に車《くるま》が来《き》てる
大丈夫《だいじょうぶ》だ
どうした？
具合《ぐあい》でも悪《わる》いのか？
顔が赤い
すっ

ほほえましいですね
微笑ましいというか
はずかしいというか…
…琥珀《こはく》は『過去《かこ》』で自分《じぶん》の気持《きも》ちを自覚《じかく》したようです
琇一郎《しゅういちろう》さんに対《たい》する気持《きも》ちを
ちっこいのがあの人間《にんげん》を？
はい
しかし…あいつは…
ぴ
あ！ご飯《はん》たけましたね
くるっ
…あいつは…
とととと

琇一郎《しゅういちろう》さーん
翡翠様《ひすいさま》がお茶《ちゃ》いかがですかって…
しゅ…
…あそこは…
蛍《ほたる》さんがいた藤《ふじ》の樹《き》だ
俺《おれ》は蛍《ほたる》しかいらない

…また胸《むね》が痛《いた》い…
どうして…
琇一郎《しゅういちろう》さんと会《あ》えたのに…
戻《もど》って来《こ》れたのに…
ガサ
ごめんなさい!
…なんだ?
あの
翡翠《ひすい》様《さま》が
お茶《ちゃ》いかがですか
って
有《あ》り難《がと》う
ザッ
あの…
あの…

はじめてお会《あ》いした時《とき》非現実的《ひげんじつてき》なことは嫌《きら》いだっておっしゃってましたよね
その割には驚かれないなと思って…
天使とか悪魔を見ても
…非現実的《ひげんじつてき》なことは…俺《おれ》じゃ どうにも出来《でき》ないからな
現実的《げんじつてき》なことなら努力次第《どりょくしだい》でなんとかなるかもしれんが
相手《あいて》が非現実的《ひげんじつてき》な存在《そんざい》の場合《ばあい》はどうしようもない

それって…蛍《ほたる》さんのことですか…
？
何《なに》かいったか？
ふるふる
ふわ
よろろ
夜《よる》は冷《ひ》えるからな
あ、ちょっとおもい…

有《あ》り難《がと》う御座《ござ》います
くっそー黒燿《こくよう》めーー！

紅榴さま ほっぺひっぱられ たんやて 黒耀さまに
せっかく 美形やのに かわいそー
むにって
しかし琇一郎《しゅういちろう》が 藤《ふじ》の精《せい》の 知《し》り合《あ》いだったとはな
ペロ
琥珀《こはく》が大事《だいじ》にしてる 奴《やつ》だし
俺《おれ》が美味《おい》しく いただいてやる
風邪ですか?!
おろ おろ
ゾく
どーしょー どーしょー
ぱたぱた

END

Contact.12
あたらしい友《とも》達《だち》

はぐはぐ
わーふわふわたまごやきや
やいてあるお魚もけっこうおいしいねぇ
なんでおまえまで一緒《いっしょ》に喰《く》ってんだ
いいじゃねーか黒耀《こくよう》の分《ぶん》ちゃんとあるんだし
もぐもぐ
おかわりいかがですか？
…あいつは？
どうも
そんな問題じゃない！
はにゃせー
ムニッ
琥珀《こはく》ですか？
庭《にわ》だと思《おも》いますよ

どーして
紅榴《こうりゅう》が
琇一郎《しゅういちろう》さん家《ち》で
食事《しょくじ》していくのかな
さわさわ
ね——
桜《さくら》の樹《き》さん
ほえ？
カタ—ン
琇一郎《しゅういちろう》さん！

御夕飯《おゆうはん》終《お》わったんですか
…ああ
おでかけですか?
ちょっと煙草《たばこ》を買《か》いにな
いつもお庭では下駄なのに
いってきます!
その大《おお》きさでか?
大丈夫《だいじょうぶ》です! すぐ近《ちか》くの煙草屋《たばこや》さんの販売機《はんばいき》にいきますから!
…………
えっと いつも吸《す》ってらっしゃるので いいんですよね

いってきまーす！
………
大丈夫か
ほんとに
ゲルゲルゲル
ヨーゲルト
白いのゲルゲル
ヨーゲルトー
ビフィズスさんがいっぱい
住んでるー
ぶりぶりー
あった！
販売機《はんばいき》
販売機《はんばいき》は…
あ、これだ
琇一郎《しゅういちろう》さんの
煙草《たばこ》は…

ほえ？
タッ
にゃんこさん…？
目《め》が金色《きんいろ》…

ほえええ!?

何《なに》してんだ？
こんなとこで
あー喰った喰った
いや…
別《べつ》に
そう言《い》えば
琥珀《こはく》は？
煙草《たばこ》を
買《か》いにいって
くれたんだが…
いないのか
そりゃ好都合《こうつごう》だ
……？

………
………
…こういう場合《ばあい》
なんかリアクション
返《かえ》さねえか
ふつー
…何《なに》か用《よう》か
ずるっ

なー
なんか最近《さいきん》 琇一郎《しゅういちろう》
琥珀《こはく》ちゃんのぼけがうつってきてへん?
うちもそう思《おも》うー
…飯《めし》ならまだあるぞ
腹《はら》はいっぱいだ
食欲《しょくよく》は満《み》たされたんで今度《こんど》は別《べつ》の欲求《よっきゅう》を満《み》たす
まだ宵《よい》の口《くち》に何《なに》やってんだ
まぁあいつは何時だろーが誰が見てよーが関係ねーか・
俺の時もそうだったし

何《なに》か言《い》いました？
にこにこ
いーや何《なに》も
眠《ねむ》いならあっちに布団《ふとん》が…
眠《ねむ》くない
じゃあなんの用《よう》だ
重《おも》い？
重《おも》くはないが
…なんか琇一郎《しゅういちろう》の側《そば》にいると…気持《きも》ちいい

じゃ
まず味見《あじみ》を…
わあああああああん！
すてーん
がばっ
どうした!?
にゃんこが！
にゃんこがー！

……猫《ねこ》……？
おまえはなあ！
ひら

邪魔《じゃま》ばっか
しやがってー！
だってー！
こわかったんだもんー！
にゃんこみたいなのに
すっごいすっごい
足早《あしはや》いんだもん！
猫《ねこ》は
素早《すばや》いだろ！
一生懸命《いっしょうけんめい》
飛《と》んでも
ついてくるんだよー！
おまえについてこれる
猫《ねこ》なんざ
いくらでもいる！
まぁまぁ
落ちついて
ちがうもん！
猫《ねこ》だけど
猫《ねこ》じゃないもん！
で
琥珀《こはく》
お使《つか》いは？
はっ
…忘《わす》れたと
おやくそくやな！
うんうん
つかみばっちりやでー

チチチ
チチチチチ
どーしたの元気ないわね
ほんとほんと
いつもの歌聞けなくてさびしいわ
そうそう変な歌
ふえ〜〜〜
もー琥珀ちゃん泣いちゃうでしょー!
カカト落しっ
元気出して琥珀ちゃんの歌は変だけど上手よ
あうう
フォローになってないっ!!
まわしゲリっ
…また琇一郎《しゅういちろう》さんのお役《やく》に立《た》てなかった…

まあ そんなことが
素早くて 凶暴な 猫もどきなんて こわいわ こわいわ
結局《けっきょく》 煙草《たばこ》は買《か》って これなかったし
お金《かね》は途中《とちゅう》で 落《お》としちゃうし…
琇一郎さんも 怒ったの？
ふるふる
じゃあ 大丈夫よ
琇一郎さん 優しいもの
…確《たし》かに 琇一郎《しゅういちろう》さんは 優《やさ》しいけど… なんだか益々《ますます》 迷惑《めいわく》になってる ような気《き》がする…
フォロー不能の舞
ほえ？
そ そうだ！
とりあえず 今度お使いにいった時に 同じ事にならないように その猫もどきが何なのか 確かめてみるって 言うのは どう？
いいかも！ 今なら 琥珀ちゃん 大きいし
追いかけられても 逃げられるわ
…そうだね

あのにゃんこさんの正体《しょうたい》が分《わ》かれば対処法《たいしょほう》だって見《み》つかるし
今度《こんど》こそちゃんとお使《つか》い出来《でき》るかも
よし！
がんばれ琥珀ちゃん
サァァァァァ

翡翠《ひすい》さまー
はい
夕飯（マメごはん）の用意をしている
なんとなくてつだっている
ちょっとでかけてきまーす
いってらっしゃい
けっこう熱中している
ズアアア
…いない…

びくぅ
ほっ
よかった
昨夜のこわいのじゃない
すりっ
ごろごろ
ね にゃんこさん
貴方《あなた》と同《おな》じ
白《しろ》い色《いろ》した
こわい猫《ねこ》みたいなの
知《し》らない？
にゃおう

えっとね 昨日《きのう》の夜《よる》にね ここで会《あ》った 猫《ねこ》みたいな子《こ》なの 目《め》が金色《きんいろ》でね…
にゃーーん
あっ
貴方《あなた》は銀色《ぎんいろ》だね
え？ 今日《きょう》の夜《よる》 来《こ》いって？
にゃう
あの猫《ねこ》みたいな子《こ》の事《こと》 知《し》ってるの？
こくん
にゃう
でも 夜《よる》はちっちゃく なっちゃうから…
それでもいいって？
にゃー
…ほ …ほえ

カラ
どこへ
いくんだ？
ぎく
あ あの…
煙草《たばこ》屋《や》さんへ…
煙草《たばこ》なら
あるぞ
夜《よる》にその姿《すがた》で
うろちょろしてると
危《あぶ》ないだろう
あの
にゃんこさんと
約束《やくそく》したんです

猫《ねこ》？どこの
煙草屋《たばこや》さんの
………
俺《おれ》もいく
あれ…閉《し》まってる
ここはおばあさんが独《ひと》りでやってる店《みせ》だからな7時《じ》には閉《し》まってる
どうしよう…約束《やくそく》したのに
にゃおぉーん

あ――!
昨日《きのう》の!
タッ
金色《きんいろ》の目《め》だ!
やっぱり昨日《きのう》の子《こ》です!

…猫《ねこ》…か？
ザッ
ダッ
にゃあー
ほ…ほえ？

にゃおう
え…
ど どうして…
どうした?
あの えっと…
えっと
じろ
その猫《ねこ》は
琥珀《こはく》を
気《き》にいったんだとさ
紅榴《こうりゅう》!
…気《き》に…?

その猫《ねこ》は琥珀《こはく》を嫁《よめ》にしたいんだとさ
ほ ほえええええ！
で でも！一度《いちど》しか会《あ》ってないし！
一目惚《ひとめぼ》れだと
にゃう
ど どうして追《お》いかけてきたの？
…告白《こくはく》しようと思《おも》ったと
で でも！なんだか普通《ふつう》の猫《ねこ》みたいな気《き》がしないんだけど…
にゃーう

え
二重《にじゅう》人格《じんかく》!?
にゃーーう
にゃうにゃう
一匹《いっぴき》の中《なか》に
二匹《にひき》の
人格《じんかく》が
入《はい》ってる?
昼《ひる》は大人《おとな》しく
寝《ね》てばっかり?
夜《よる》になると
凶暴化《きょうぼうか》する?
まさか…
じゃ お昼《ひる》に
この店《みせ》で
会《あ》ったのは
にゃう

同《おな》じ…猫《ねこ》
にゃう
すり
すり

あははははいいじゃねーか
とろい天使《てんし》と二重人格猫《にじゅうじんかくねこ》!
なかなかの組《く》み合《あ》わせだ!!
あーはははは
ジタバタ
紅榴《こうりゅう》ー!!

ガぶ
だめー!
わー 穴あいてる
琇一郎《しゅういちろう》さん かんじゃ駄目《だめ》!
え? 名前《なまえ》? つけろって?
でも ご主人様《しゅじんさま》が つけてくれた名前《なまえ》が あるでしょ?
にゃあおう

確《たし》か
珊瑚《さんご》って名前《なまえ》だ
おばあさんが そう呼んでた
血ーでてるぅ なめさせろ なーなー
キッ
それは
お昼《ひる》の名前《なまえ》だって？
にゃー
あはははは
つけてやれよ
将来《しょうらい》の相手《あいて》の為《ため》に
きゃははは
じろっ
…じゃ…
真珠《しんじゅ》
真《ま》っ白《しろ》で
綺麗《きれい》だから

ギロ
わーん おすと重いよー
おし おし
ぎゃははは
真珠《しんじゅ》! だめだったら——!

よく寝《ね》てるなあ
昨夜《ゆうべ》と同《おな》じ猫《ねこ》だなんて思《おも》えない
おばあさんがいないので販売機で買った
珊瑚《さんご》
にゃ～…!!
あ、日が暮れちゃった…
むく
ポーー
ガブ
あ・・・真珠《しんじゅ》・・・?

END

Wish

To be continued in our next number.

Wish
CLAMP《クランプ》新聞《しんぶん》 海賊版《かいぞくばん》
II
紅榴訪問《こうりゅうほうもん》の日《ひ》
……おい
あ 紅榴《こうりゅう》くん いらっしゃい
すでに宴会 2次会の様相。
えへへ～
これどうやってぬいでるのかな～

やー こーりゅーくんも 飲みなよー
『Wish《ウイッシュ》』2巻《かん》・発売《はつばい》の祝《いわ》いに 来《き》てやりゃあ すでに酔《よ》っぱらいたぁ どーいうことだ
祝《いわ》いといえば 宴席《えんせき》
宴席《えんせき》といえば 酒宴《しゅえん》と相場《そうば》が 決《き》まってるし
ねーねー これどーやって ぬったんかなあ
ぐびぐび
やーー 理由《りゆう》なんか 後《あと》でつければ いーの とりあえず宴会《えんかい》!
よっぱらい
ぽろ
ぷふぅ
ぐっ
ちょうど いいところに 酒《さけ》のつまみも あるしな
ああっ! 待《ま》ってっ!!
ぐい ぐい
はぁ〜 こんどは おふろか〜
ぐつぐつぐつ

刺し身《さしみ》じゃなきゃ嫌《いや》っ!!
た・べ・て♡
よっぱらい
わーええどーねーちゃん☆
パチパチ
へんたい？
ぐつぐつ
温泉ならやっぱりあつかんだよねー
何《なに》やってるの皆《みんな》っ!!
ぱんぱん
はーいい湯だにゃあ〜
よっぱらい
はーい
しくしくたべてよ〜
よっぱらい
じゃぶじゃぶ
食《た》べる時《とき》は手《て》を洗《あら》わなきゃ駄目《だめ》でしょっっ!!
皆《みんな》まとめて食《く》ってやるから安心《あんしん》しろ
紅ちゃんになら たべられてもいいの♡
もっとおさけ
もっとのむー
ゆでいぬ
バタバタ
きゃー♡
きゃー
わたしをつかまえてごらんなさーい
おらおら

チュン
チュン
おはようございます
あー 琥珀《こはく》ちゃん おはよう
ゼー
ゼー
くー くー
らくがきされた
紅榴《こうりゅう》が長居《ながい》して 御迷惑《ごめいわく》お掛《か》け しませんでしたか？
あ、これ 琥一郎さんが 作って下さった お弁当です 朝食にどうぞ
まあ 琥ちゃんのお手製!! ちょーど お腹が空いてたのよ
くおう くおう
ぐううう
じゃあ 失礼《しつれい》しますね
うん ばいばい
もぐ もぐ
紅榴《こうりゅう》 皆《みんな》のこと かじったり しなかった？
食《く》えねぇよ あんなの
オレがくわれるかと思ったぞ
ばさ
3巻発売《かんはつばい》の時《とき》は 誰《だれ》が来《き》て くれるのかなぁ
はぐ はぐ
あらあら 猫井《ねこい》ったら 気《き》の早《はや》い話《はなし》ね
おほほほほほ

To be continued.

See you again.